VERS-HURLEMENTS
ET BARREAUX DE LIT

JEAN-FRANÇOIS CARON

vers-hurlements et barreaux de lit

Poèmes

ÉDITIONS TROIS-PISTOLES

Éditions Trois-Pistoles
31, Route Nationale Est
Trois-Pistoles (Québec)
G0L 4K0
Téléphone : 418-851-8888
Télécopieur : 418-851-8888
Courriel : vlb2000@bellnet.ca

Couverture : Cindy Dumais
Mise en pages : Plume-Art
Révision : Judith Langevin

Les Éditions Trois-Pistoles bénéficient des programmes d'aide
à la publication du Conseil des Arts du Canada, du ministère
du Patrimoine (PADIÉ), de la Société de développement des
entreprises culturelles du Québec (SODEC) et du programme
de crédit d'impôt pour l'édition de livres du gouvernement
du Québec (gestion Sodec).

En Europe (comptoir de ventes)
Librairie du Québec
30, rue Gay-Lussac
75 005 Paris France
Téléphone : 43 54 49 02
Télécopieur : 43 54 39 15

ISBN : 978-2-89583-225-6
Dépôt légal : Bibliothèque et Archives nationales du Québec, 2010
Dépôt légal : Bibliothèque et Archives Canada, 2010

À mon petit lion du nord

prélude

je ne suis pas poète je suis aveugle
le poète est nécessaire je suis né cécité
j'ai l'œil qui blesse noir et entache de son deuil

si je suis témoin
je ne parlerai pas du Nord décapité des poussières
de désert soulevées de bombes de chairs brûlées
par le froid dans les escaliers de Saint-Denis de
peau fripée sur le canapé des appartements qui ne
connaissent que le temps des pendules bruyantes
et des téléviseurs au son coupé comme le cou des
condamnés et des oiseaux de salon

je ne parlerai pas du Nord décapité

moi le nord je l'ai perdu
dans le trou d'un cœur déchiré

fils à retordre

vers-hurlements et barreaux de lit

les uns retiennent les autres
qui crachent

c'est une chambre dans une chambre
c'est un lit dans un lit
un monde exigu d'échos infinis

c'est une tension bulle comme celles qui éclatent
de reflets tant que d'éclats tant que d'ennui
qui dure et brise et perce
le fin film de surface

et on se retient
encore heureux on se retient
encore heureux qu'on se retienne

ta vêture de trop plein de petits morceaux
quand l'échec est ordinaire au bord des lèvres
de jour comme sans nuit
bébé troué
mon corps de fatigue à trimballer
comme un pays sans poids qui se porte sur
la conscience

mais puisque je le peux je te bercerai

je te connaissais par cœur
avant même que tu naisses
je te connaissais par cœur

[poum poum]

par cœur

[poum poum]

[poum poum]

que j'entendais

je connaissais le

[poum]

je connaissais le bât
je connaissais le trou le *pfuit* la fuite le *shhh*
le chut le silence

18

je te connaissais par cœur
avant que tu naisses
je te connaissais le cœur

je te connaissais le cœur le trou la trouée la percée
la fibre folle la fuite le choc la foudre la forme le mal
la mal-formation

mon effort déformé
je te connaissais

je te connaissais

un pays qu'on ne connaît que de *non*

je te connaissais par cœur
avant même que tu naisses
je te connaissais le cœur
le

[poum]

le cœur
le

[poum poum]

mon petit fait
mon défait
mon imparfait
que je te connaissais «comme qu'on dit»
mon inconditionnel

mon cœur qui toc
mon cœur mon rock mon rôle
mon cœur de rocker ma geôle ma peur mon drôle

mon drôle

quand t'es venu déjà rose
dégât de fil de prose
mon fils entre ses cuisses   toi mon frisé
mon brisé mon effort mon déformé
mon fils entre ses cuisses

puis

dans une bière de plexi déjà héros rouge momifié
petit chapeau de laine et toutes les mesures prises
premières douleurs et crise
et lumière vive
flash

puis mon branché mon fils mon enfilé mon fort
mon emmêlé gros loup parmi les meurtris
tes hurlements d'intouché quand
parcelle de moi percée tu me laisses sans voix
je suis hurlementeur de sourires devant les connaissances
ça va bien tout va bien ou je me tais

c'est ainsi qu'on m'a appris à me tenir debout devant le monde
ça va bien tout va bien ou je me tais
je suis bien de ce pays
et je t'enseigne
à en être

puis moi ton affolé de père ton père dépareillé
ton mou ton oreiller
ton hey ton t'sais ton ouais ton oui-oui
ton qui-veut-pas-pleurer

puis sans relâche mon corps penché
sur ton lit fond de tiroir ton lit fouillis de jeux inutiles

puis qu'on se berce qu'on se berce qu'on se berce
puis qu'on se dresse qu'on se dresse qu'on se dresse

si je me lève un jour ce sera un peu sur tes pieds

ensemble debout   dans le bip
des machines auxquelles tu es branché
ensemble debout   qu'on se tienne debout
qu'on se tienne debout — tous les deux sur tes pieds

puis alors mon emmêlé
        « attends un peu — papa va essayer
        de te sortir de là »

mes gros doigts qui s'enfargent
le sourire de l'infirmière qui vient d'entrer
c'est madame France
ou l'autre madame France
ou madame Lucie
comme ma mère ta grand-mère c'est drôle ça
madame Lucie

        « attendez le papa je vais vous aider »
qu'elle dit

dans ton lit à barreaux
entre mes vers et tes hurlements
mon cœur brisé bien plus que le tien
ton père débris
c'est moi ça
les ruines et la poussière et la cendre et les débris
ton père débris qui se berce à côté
dans les ruines de sa tête sans drapeau
c'est moi ton hey ton t'sais ton ouais ton oui-oui
ton ça-va-aller
        mais ton qui-veut-pas-pleurer

hémotion

c'est ton sang qui fout le bordel
du sang pas signé
qui ne vient plus de France ni d'ailleurs
n'est plus bon qu'à te vider le cœur n'a de source
aucune lignée n'a plus guère besoin d'ennemi pour couler
c'est ainsi quand on n'arrête pas une saignée

ton sang pis son bouillon qui veut pis qui veut pas pis qui
prend toute la place pis qu'est partout dans le verbe de
tous les logues agglutinés dans l'alentour de ton cas de toi
qui concentres l'univers de toi mystère de toutes les misères

ton sang pour signer
la mort d'un père sans nation
d'une mère apatride
d'une cellule descellée sous l'œil d'un microscope

Félix à ton oreille gronde la colère
j'ouvre la bouche pour calmer le jeu de ta peau percée
pour rien qui jamais ne fuit jamais ne crache jamais
ne suit quand on tire à la seringue ton vif gris dans
l'éprouvette mauve et ta douleur encensée à laquelle
je cherche sens

je suis de tes contentions

dans l'écho de tes hurlements
c'est mon impuissance
qui chante
Félix à ton oreille qui gronde
la colère

c'est du plomb qui coule
comme sur les livres de Kieffer
c'est du mercure qui roule
éclaté au sol
le poids de chaque bille-brûlure métallique
cri bref et répétitif d'appareils
mains enfournées dans les poches de sarrau des spécialistes
lourdes mains
profondes poches
comme la bourse molle des économistes impuissants
sarrau sale
taches de mercure et de plomb qui gouttent

souillures instables de poison

sang dessus dessous

colère

c'est ton vif qui éclabousse
jusque loin outre frontière
des gouttes de toi à tous les vents

équation d'inconnues multiples

tu es variable
tu es surprise et ça fait mal
et dans ma tête je sens cette aiguille : *« tu es étranger
à la science et ensemble nous sommes étrangers au
monde et à mesure qu'on te siphonne c'est moi qui
sens le vide je n'ai plus de terre plus de maison plus
de socle c'est moi qui sens le vide c'est moi qui ne
suis plus »*

avant la suture

l'humeur qui vogue
enfin unplugged   enfin unplugged
                on jouera ta vie de débranché
avant la suture mais on reviendra te darder te coincer
t'enfiler te faire chair on reviendra à la vie pleine
d'aiguilles à têtes chercheuses la vie de drap blanc
et de voisins bruyants la vie d'enfant qui pleure du
fond du corridor des cris d'écorchés des hurlements
à la face des géniteurs impassibles

on reviendra

        dans les mêmes chambres

        devant les mêmes fenêtres

derrière les mêmes murs défaits par les mêmes pleurs

coulant sur d'autres visages

toujours les mêmes pleurs sur toujours d'autres visages

d'autres faces de vies qui s'effacent

ils sont déjà effacés

natifs d'une même terre

et tu vois mes mains ? je disparais

il y a

des milliers de moins chanceux
dans la mémoire cumulée

coupable de colère
quand des yeux de verre roulent ailleurs
dans le désert de toutes les Afriques

il y a

des milliers de moins chanceux
au corps désarticulé

tiens
son histoire mâchée dans les bras d'une mère à
peine capable de dire du sable plein la bouche il va
mourir parce qu'elle pleure sec c'est comme ça sous
le soleil

enfant bleu mais pas touareg
nomade innommable juste mal tombé

ils l'ont dit à la télé

et j'ai pleuré

parce qu'on pleure comme ça sur les enfants des
autres quand on a le sien à bras-le-corps dans un
couloir d'hôpital où le néon vacille où l'air est frais
où c'est près de la fenêtre où on voit un carré marine
de ciel chargé où on sent la pluie où on sait la grêle

ils l'ont dit à la télé

parce qu'on pleure comme ça sur le pays des autres
quand on veut oublier qu'on est perdus dans nos gros
chars sur un continent qui s'est fait voler son nom

quelqu'un arrive d'un pas qui sèche les joues

on reviendra mon grêleux
prends des forces
on reviendra

toi en tout cas
moi j'ai trébuché il y a longtemps

on reviendra
mais pour l'heure

ton sourire d'enfant fou pas malade du tout qui
insiste sur le bonheur quand tes sommeils trop
longs quand tes jeux trop bruyants quand tes désirs
d'enfant quand toi même la nuit trop souvent
quand toi même la nuit nous surprends
quand tes sommeils trop courts
tes désirs trop bruyants

et dès que seul

tous les déversements de haine — la vraie haine qui pourrait tuer Eugénie et les autres qui pourrait détruire qui met le feu à la torche puis à la chaume puis qui tire des billes de plomb à la volée vers les laquais d'une vieille Couronne celle qui hurle en vers gris et qui se fait barreaux de lit — alors dès que seul tous les déversements de haine
et leurs bombes

la laideur d'un père qui pleure père en loques à son bureau l'oreille au combiné la morve au nez alors qu'une inconnue sans comprendre répète *veuillez raccrocher veuillez raccrocher s'il vous plaît*

je raccroche

en attendant,
marcher contre Eugénie

cette cendre
cette crasse au visage
indélébile
trace des masses
qui marchaient au pas sur la pellicule

s'il n'y avait plus de beurre
je t'enduirais d'autres viscosités
Eugénie

le feu brûle pour rien la colère en sursis
regarde les étoiles et chaque fois ce besoin
d'une lampe pour écrire

la page reste blanche tant qu'on dit non
et les étoiles comme les héros
c'est beau mais ça ne touche pas
le papier

toi aussi tu es difforme Eugénie
je te lèche du pinceau sur la mollesse
tu es imparfaite
c'est moi qui te fais imparfaite
tu es seule ton corps en osmose avec un monde putride
quand je t'espère dans les chutes vengeresses de l'Histoire
il fut un meurtre multiplié Eugénie au-dedans de ta chair
et je continue de te salir affreuse nudité et je te baise
à en finir Eugénie au-dedans de ta chair

et quand les musiques atmosphères percent les tympans
toujours tu es fausse et je te prends une jambe
une joue un œil un coude
il manque une jambe une joue un œil un coude

je prends et fais
ton humanité imparfaite

plus jamais porteur d'eau
je suis cueilleur de verre sur ton repli et tes bosses
là où pousseront des fruits
j'ai brisé et recueilli
la transparence et le temps
la patience
beaucoup de temps

n'y a-t-il qu'ainsi qu'on se retrouve
du feu plein les yeux
et la lumière aveugle

faux lac bourbeux nature affamée
ivresse dopée trop courte pour l'envolée

Eugénie tu dors
on veut te réveiller et moi je te caresse de mains obliques
comme une armée de pantins peluchés au garde-à-vous

c'est le retour de l'Homme nouveau
je *suis* l'Homme nouveau
seuil du culte de l'imparfaite
· et tu es cette imparfaite

je t'aime sale et défaite quand tu ne sais plus t'arrê-
ter devant l'ivresse et que tu t'y laisses gravir lente-
ment portée par ces écluses grises qui coupent du
monde les lois du Parlement je t'aime sale et défaite
étouffée par les bâillons au bord du canal où l'on ne
fait que passer
laissée pour corps
au bord   sous la feuillée d'un Jacques-Cartier

j'ai la folie des soirs de feu quand je me rappelle
toutes les censures et leurs tisons ce sont tes doigts
brûlés quand tu es trop belle Eugénie
icône de nos missels de papier glacé

tu es trop belle Eugénie prête au sacrifice sur le
bûcher des feux de paille tu es naze Eugénie naze
sur le Net et à la face du monde dans les présentoirs
dans les kiosques sur les étals

c'est l'heure de la torture [enfin]
c'est l'heure de la torture que je te picasse
te massonne te dalie
que tu sois monstre enfin
pureté tarée

c'est ainsi que tu adviens
mes mains qui t'implorent
sois disgracieuse
mes doigts sur ta peau
ton cou

sois disgracieuse
«sois vilaine» aurait dit Joyce à sa femme
je te veux vile
je te veux pleine
d'orgueil et infâme
je te veux prise de colère contre mon corps impuissant
je te veux sale de démence
nue sous la tournure
pour que mes doigts de rapace déchirent ta peau
pour qu'une souffrance passe de l'un à l'autre
comme ces peuples sans vie
qui pleurent la mort des autres

j'ai l'enseigne du cœur qui tolère les erreurs
ton nom y est écrit de toutes les façons
Eugénie

fragiles
charpies de proies
bestioles à dévorer
violences et démences répandues par le ressac
n'être plus que franges pour ton corps balance

ton nom y est écrit de toutes les façons
Eugénie

mes envies se chapitrent
comme le plus long roman inachevé
dans la poussière sous les vêtements dans les cartables
du temps sous les sédiments de ce qui ne sera jamais
écrit et qui existe pourtant

et toi qui n'es pas Eugénie

9 h 25
plus je suis loin
plus je suis loin plus se dérobe ton image à mon sens
je te sens proche la distance de fait est parfaite plus
que jamais
plus que jamais et par bribes éparses toujours par
vers pris de court je te découvre encore plus que
jamais la trace écrite de mes origines
la trace écrite de mes origines l'écriture est le monde
échappé entre les lignes l'univers dérobé et nu de ce
dont les mots ne sont pas dignes

et tu en es heureusement
de l'indicible
toi imprévue qui n'es pas Eugénie

quand je t'imaginais faisant l'amour tes hanches
arquées et loin très loin tes petits seins et je voyais le
contact discret de ta peau de ton corps sur le mien
n'y avait-il pas là quelque chose d'étrange je voyais
ton souffle dans ma bouche je voyais mes cheveux
mes nuisibles je voyais ton barbell devenu mien ton
goût que j'avalais n'y avait-il pas là quelque chose
d'étrange quand ton corps prenait le mien comme
refuge incertain plutôt que moi réfugié

avec le temps j'avais fini par croire
que c'est ainsi que tu aimais faire l'amour

j'aurai au moins aimé ces cinq heures
à écrire nos refrains
à cent à l'heure

poète rocket
cinq heures de poésie missile artisanal
cinq heures à cent à l'heure d'éventuelles explosions
j'étais une bombe et devenais déflagration
poète rocket à cent à l'heure
pour l'explosion

«Qu'y avait-il de plus incertain
que notre amour pourtant…»
se dirent-ils devenus vieux et craquants
devenus berçants sur rocking chair
ces plis d'eux-mêmes à l'abri de la pluie

ce voyage aura eu ceci de bon
qu'il nous aura fait vieillir ensemble

hey Eugénie
qui regardes par-dessus ton épaule qui surveilles
l'amour propre le succès du corps la justesse du geste
la ligne droite la mémoire qui choisit les exploits de
papier les athlètes et les bottes à cap d'acier
je te préfère mes imparfaites

l'heure est aux imparfaites
mais tu en seras
Eugénie
dans les cris d'une misère corrosive
quand poète rocket je t'aurai meurtrie

je te veux brûlée
que mes violences te signent
dédicace autodafé

sur cette colère
les soupirs
baumes tièdes d'eucalyptus

je souffle frais dans juillet
rompu en août
septembre arrive
Eugénie brûlée vive

je peux reprendre à mon bras le fils de l'homme

premiers pas vers l'Histoire

ton
cœur crevé
tranchée
d'où les soldats morts
jaillissaient
débord d'ondes
de cris sourds
d'étoupe sonore pour étancher
les clameurs étouffées
les plaintes lascives
les pleurs étrangers
les sutures déchirées

la tranchée
n'est que du moment
qu'en sortent les morts
inondant les champs de mines
et les antipersonnes aux pronoms poussifs
les dégâts de tes membres
ton image morcelée
d'imparfaits hommages de chair
dans les interstices épars et les fenêtres tordues

tous ces yeux qu'on veut clos sur le chemin du retour ton cœur pansé saigne toujours ta tranchée de
morts qui la font exister autrement serait ravine
oubliée depuis le temps sous les herbes couchées

comme les trésors d'antipersonnes
loin dans la mémoire

comme sous la peau
quand on refermera ton corps
sur ton sang poison d'eau
élidant la guérison sous ses flots éventuels

marées promises
déluges de dieux lyriques
ils jouent aux soldats de plomb
sur ta joue
font des trépas de cornée

je paie pour le spectacle de ta vie
le souvenir ataraxe
fait mine de plomb
puis s'efface

les mêmes

puis ton tour
encore ton tour
encore ton tour

ta vie comptine
trois petits tours
et puits sans fond

ton retour
mêmes faces mêmes sourires
mêmes espoirs mêmes parloirs
les mêmes lits
et on t'attache aux mêmes fils
on te brûle aux mêmes lumières
tu proses
une autre littérature
tu te livres

on t'endort

alors des heures de casse-tête de feuillage d'herbage
de grève de mer de ciel de bateaux qui flottent
des heures de bateau échoué de quai de village de
bord de mer de mal de cœur de dérive d'il-faut-
manger-pareil de c'est-juste-une-couture-au-fond-
une-ligature puis ce casse-tête encore ces pièces qui
se perdent en petits tas mélangés le cuir moite
collant aux cuisses le café qui soûle les larmes
rengorgées le feuillage encore et c'est trop chaud
pour continuer

enfin la main qui arrive
un peu en bas d'un sourire satisfait
je la serre

la main qui a touché ton cœur la main qui t'a coupé
mouru plogué charcuté la main qui t'a cousu patché
fermé rallumé j'ai serré la main qui a touché ton
cœur comme si j'avais aussi mis le doigt pour
colmater la brèche

pour qu'ensemble debout
qu'on se tienne debout
qu'on se tienne toujours
toute ma vie
la tienne
tiens bon
que je me lève derrière toi
et que d'autres nous suivent

ton corps gris
gonflé à la machine
ton corps soûl
tes yeux fous
ta douleur
ton zipper
ta topographie
ta machine
tes bruits de machine
les bruits de ta machine

souffle rapide
œil révulsé
on accourt

ce n'est rien
on se calme

avec toi c'est un pays qui a tourné de l'œil

quand voir fait mal
tu cries sourdement
d'une bouche aride
le corps ouvert
et tout près une flaque de Québec répandue d'auto-
route de chaleur de mouvement de véhicules s'en-
gouffrant dans les artères en grumeaux rutilants
d'arbres et de commerces d'automne à peine dans
les feuillages non pas vraiment de cuisses brunes et
de stationnements réservés et d'une balançoire si on
regarde bien à l'ombre où je serais mieux

tu t'éveilles encore
et voir fait mal
te fait mal
me fait mal
tu cries sourdement encore mon cœur fendu mon
rapiécé
avec toi c'est un pays qui est sans voix

qu'on te prenne qu'on te prenne qu'on te prenne
qu'on te prenne qu'on te prenne qu'on
te prenne qu'on te prenne qu'on te prenne
qu'on te prenne qu'on te prenne qu'on te prenne
qu'on te prenne qu'on te prenne qu'on te prenne
qu'on te prenne qu'on te prenne qu'on te prenne
qu'on te prenne qu'on te prenne qu'on te prenne
qu'on te prenne qu'on te prenne qu'on te
prenne qu'on te prenne

ton désir est là qui se gonfle

qu'on te prenne qu'on te prenne qu'on te prenne
qu'on te prenne qu'on te prenne qu'on te
prenne qu'on te prenne qu'on te prenne qu'on te
prenne qu'on te prenne qu'on te prenne qu'on te
prenne qu'on te prenne qu'on te prenne qu'on
te prenne qu'on te prenne qu'on te prenne qu'on te
prenne qu'on te prenne

tu voudrais qu'on te prenne

avec toi c'est un pays qui attend

oublié de fermer la porte à clé y retourner mais
m'asseoir seul m'asseoir seul et pleurer

pleurer un an comme on pleure un passé
enflé dans la tête
tous les souvenirs distendus au bord de l'éclat
pleurer un an comme on pleure tous les refus
d'exister quand on a choisi depuis toujours de
s'enfarger dans ses racines plutôt que de les
rechausser

le balafré

je te connaissais par cœur
avant même ta naissance
comme pays avant l'existence

je connaissais le *poum* et le reste
mais je ne te connais plus
plus de trou de *pfuit* de fuite de *shhh*
de chut de silence

je ne te connais plus quand je te découvre cousu et
rapiécé comme un vieux drapeau qui se serait déchiré
mon beau mon homme
mon balafré

il n'est pas urgent que tout soit parfait
mon imparfait

tandis qu'Eugénie agonise dans les flammes de mon
bûcher je t'aime mon imparfait ton poignard à son
flanc c'est toi qui l'achèves
c'est toi qui l'achèves

le monde avait besoin de toi

le monde aura besoin de toi

Remerciements

D'abord, je voudrais remercier Cindy Dumais, l'artiste qui signe la couverture de ce livre, pour moi très précieux. Sa sensibilité a su traduire l'indicible émotion qui se dessinait dans ma tête et, je l'espère, derrière la trame poétique de ce recueil. Merci aussi à Judith Langevin qui a bien voulu assurer la révision linguistique du projet.

Je m'en voudrais de ne pas prendre le temps de remercier toute l'équipe de cardiologie du CHUL ainsi que la fondation En Cœur. Leur professionnalisme et leur soutien sont des baumes pour le cœur des parents dont les enfants sont atteints de troubles cardiaques.

Surtout, merci à mon amoureuse, sans qui je n'aurais jamais trouvé la force de traverser toutes ces épreuves, ainsi qu'à Matisse pour la compréhension dont il a toujours fait preuve.

Enfin, salut Damir, mon petit lion du nord. Merci pour tes leçons de courage.

La poésie aux Éditions Trois-Pistoles

Renaud Longchamps : *Visions*
Serge Mongrain : *Ghetto*
Serge Mongrain : *Je ne suis pas très intelligent*
Martin Pouliot : *Capoune !*
Martin Pouliot : *Commentaires sur le troupeau par un des membres*
Martin Pouliot : *Open House*
Martin Pouliot : *Portrait de groupe*
Martin Pouliot : *Rien n'est pur et cela me satisfait*
Sylvain Rivière : *Migrance*
Sylvain Rivière : *Dérivance*
Sylvain Rivière : *Dans le lit des vents stables*
Sylvain Rivière : *Entre le marteau et l'enclume*
Denis Samson : *Les territoires de l'ombre*
Erika Soucy : *Cochonner le plancher quand la terre est rouge*
Martin Thibault : *Shotgun*
Steak haché anthologique : *La vérité se passe un doigt*
Monique Thouin et Olivier Lasser : *C'est mêlant l'Amérique mon amour*
Julie Tremblay : *Seule avec*
Sylvie Tremblay : *On annonce du soleil à la fin du voyage*

CET OUVRAGE, COMPOSÉ EN GARAMOND SIMONCINI,
A ÉTÉ ACHEVÉ D'IMPRIMER À CAP-SAINT-IGNACE
SUR LES PRESSES DE MARQUIS IMPRIMEUR
EN AOÛT DEUX MILLE DIX.